Vive
la rentrée !

hachette
JEUNESSE

MON ÉCOLE

- Le nom de mon école : ....

- L'adresse de mon école : ....

- La date de ma rentrée à l'école : ....

- Ce que j'ai ressenti la première fois que je suis allé dans cette école :

  ☐ De la peur

  ☐ De la joie

  ☐ De la curiosité

- À quoi ressemble mon école : ....

- Ce qui m'y plaît le plus : ....

- Et ce qui m'y plaît le moins : ....

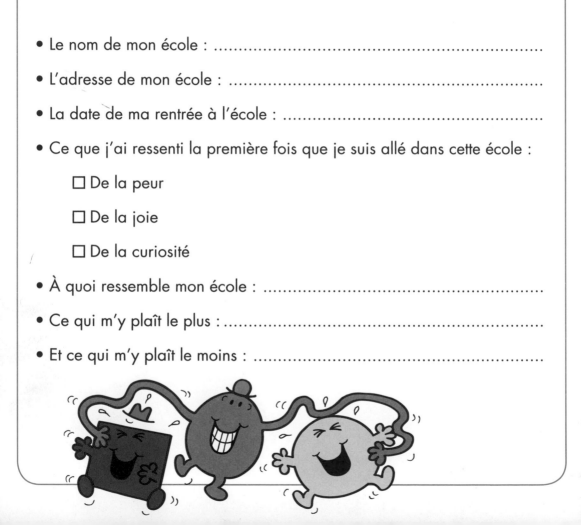

Colle ici une photo de ton école ou dessine la.

MA CLASSE

- Le nom de ma classe : ....

- Le nom de mon maître ou de ma maîtresse : ....

- Où se trouve ma classe dans l'école : ....

- En classe, je suis plutôt :

    ☐ Timide

    ☐ Sage

    ☐ Bavard

    ☐ Farceur

Colle ici une photo de ta classe ou dessine-la.

MA SALLE DE CLASSE

- Dans la classe, je me trouve où : ....

- Mon voisin/ma voisine : ....

- Qu'est ce qui se trouve dans ma classe :

    ☐ Une carte de géographie

    ☐ Une bibliothèque

    ☐ Des dessins

    ☐ Des craies de toutes les couleurs

Dessine ici ta salle de classe et mets une croix sur ta place.

MES AMIS

- Les noms de mes amis : ....
- Avant la rentrée, je connaissais déjà : ....
- Mes amis disent de moi que je suis :

    ☐ Sage

    ☐ Têtu

    ☐ Bavard

    ☐ Étourdi

    ☐ Malin

    ☐ Joyeux

    ☐ Parfait

Colle ici une photo de tous tes amis.

MON MEILLEUR/
MA MEILLEURE AMIE

- Il/Elle s'appelle : ....

- Comment je l'ai rencontré : ....

- Pourquoi je l'adore : ....

- La plus grande aventure
  que j'ai partagée avec lui/elle : ....

....

....

....

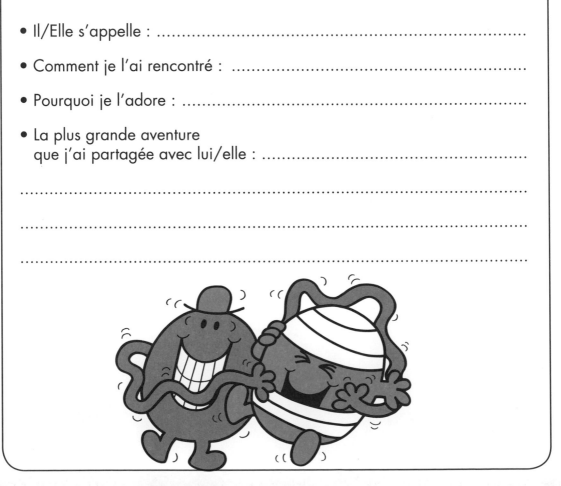

Colle ici la photo ou dessine le portrait de ton ami/e.

MON EMPLOI DU TEMPS

- Le lundi matin, je commence par : ....

- Le vendredi, je finis par : ....

- Ma matière préférée a lieu le : ....

- Je fais du sport le : ....

- J'arrive à l'école toujours :

    ☐ Très tôt

    ☐ À l'heure

    ☐ En retard

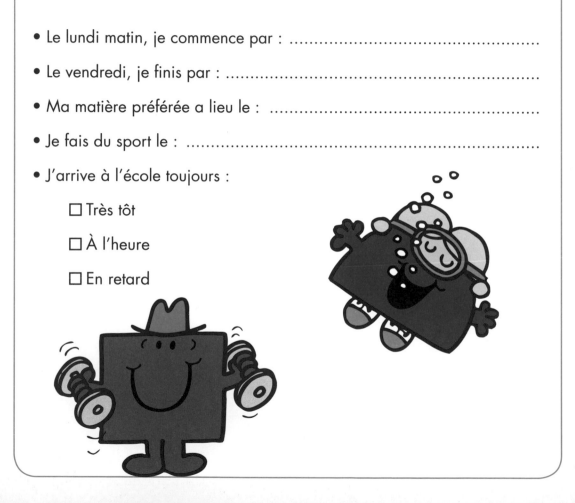

	LUNDI	MARDI	MERCREDI	JEUDI	VENDREDI	SAMEDI
8h						
9h						
10h						
11h						
12h						
13h						
14h						
15h						
16h						
17h						

LA CANTINE

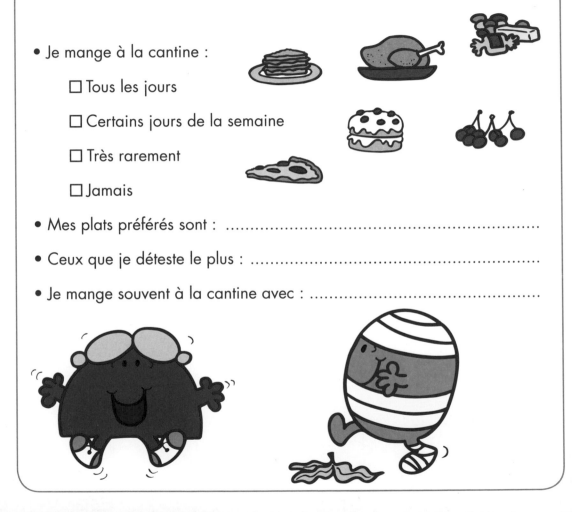

- Je mange à la cantine :

    ☐ Tous les jours

    ☐ Certains jours de la semaine

    ☐ Très rarement

    ☐ Jamais

- Mes plats préférés sont : ....

- Ceux que je déteste le plus : ....

- Je mange souvent à la cantine avec : ....

Colle ici un dessin de toi et tes copains à la cantine.

LA RÉCRÉ

- À quelle heure a lieu la récréation du matin : ....
- Et celle de l'après-midi : ....
- La récré dure combien de temps : ....
- Je passe mes récrés avec : ....
- Mes jeux préférés sont : ....
- Les jeux qui sont à la mode cette année : ....

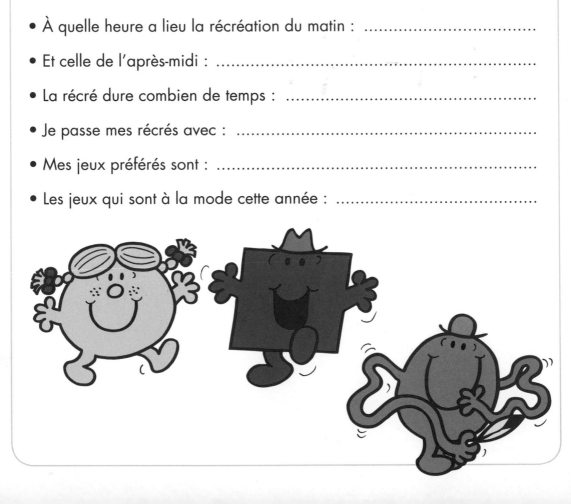

Colle ici un dessin de toi et tes copains dans la cour.

LES DEVOIRS

- Les devoirs, j'en ai : ....

- Tous les jours :

  ☐ Rarement

  ☐ Jamais

- Ce que je préfère : ....

- Ce que j'aime le moins : ....

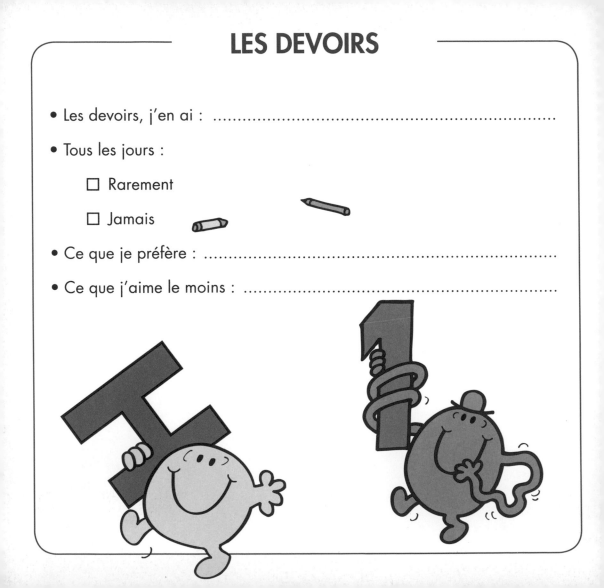

Dessine ici un portrait de toi à ton bureau.

MES MATIÈRES

- La matière que je préfère : ....

- La matière que j'aime le moins : ~~BiLDeau.~~

- La matière que je trouve rigolote : ....

Simoh

Colle ici la photo du meilleur devoir que tu as fait dans ta matière préférée.

MES BULLETINS DE NOTES

- La meilleure note que j'ai eue : ....
- Dans quelle matière : ....
- La moins bonne note que j'ai eue : ....
- Dans quelle matière : ....
- Le meilleur commentaire que j'ai eu : ....
- Le commentaire le plus drôle que j'ai eu : ....

Dessine ici le bulletin de notes de tes rêves.

ÉVALUATION DE
MON MAÎTRE/MA MAÎTRESSE

• Les notes que je donne à mon maître/à ma maîtresse :

   ◦ Rigolo : ... / 10

   ◦ Catastrophe : ... / 10

   ◦ Gentil : ... / 10

   ◦ Autoritaire : ... / 10

   ◦ Maladroit : ... / 10

   ◦ Terreur : ... / 10

Le commentaire que je lui ferais : ....

....

....

Dessine ici le diplôme que tu aimerais donner à ton maître/à ta maîtresse.

LES SORTIES SCOLAIRES

- Cette année, avec ma classe, je suis allé(e) :

    ☐ Au cinéma

    ☐ Au musée

    ☐ Dans une ferme

    ☐ Au théâtre

- J'ai aussi fait un voyage :

    ☐ À la mer

    ☐ À la montagne

- Quel est l'endroit qui m'a le plus plu et pourquoi ?

....

Colle ici une photo de l'une de tes sorties.

LE SPECTACLE
DE FIN D'ANNÉE

- Quand a lieu le spectacle ? ....
- Quel est le thème du spectacle ? ....
- Quel est mon rôle ? ....
- Quelles sont les personnes venues me voir ? ....

....

....

Colle ici une photo du spectacle.

MES PLUS BEAUX SOUVENIRS
DE CETTE ANNÉE

- Cette année, j'ai beaucoup :

    ☐ Grandi

    ☐ Appris

    ☐ Rencontré d'amis

- Mon souvenir préféré : ....

- Les personnes qui ont le plus compté pour moi : ....

....

....

....

Colle ici la photo de toute ta classe.